인간은 잡식성 동물이니까

인간은 잡식성 동물이니까

발 행 | 2024년 05월 14일
저 자 | 공효원
펴낸이 | 한건희
펴낸곳 | 주식회사 부크크
출판사등록 | 2014.07.15(제2014-16호)
주 소 | 서울특별시 금천구 가산디지털1로 119 SK트윈타워 A동 305호
전 화 | 1670-8316
이메일 | info@bookk.co.kr

ISBN | 979-11-410-8490-5

인간은 잡식성 동물이니까

공효원 지음

목차

5

Chapter   8.   子子單身 혈혈단신

나의 유년기로 장식하는 한 권이 되길

-공효원-

Chapter 0. 始作

뇌

- 시를 읽기 전 나의 말-

나의 뇌를 표현하는 예술적 요소 세가지

그림은 고뇌의 흥을 표현하고

음악은 세상의 색안경을 씌우고

시는 모든 예술을 닦는 기반이다

나의 생각을 담아내기에

예술은 작은 그릇일 뿐이다

나의 뇌는 예술도 담지 못한 상상력을 담아낸다

Chapter 1. 經驗

염전

염전은 신기하다. 물을 **빼내면** 소금이고 그 소금을 우리가 먹는다. 먹은 소금은 몸 속에서 녹고 물을 타고 간다. 다시 하늘에 올라 비가 되어 내려간다.

그렇게 바다에 둥둥 떠다니다가 바다에 들어간다. 자신의 집에 되돌아와 다시 소금이 되는 것이다. 물을 타고 자신을 타고 외출하고 온 소금덩어리는 가족 없이 친구 없이 다시 유유히 바다를 떠다닌다.

마음은 신기하다. 누군가의 마음은 언제나 증발해 앙금만 남는다. 남은 그것은 몸 속에서 쌓여 나를 먹고 산다. 썩힌 그것은 내 안에서 녹아 물을 타고 간다. 다시 강가에 앉아 돌이 되어 살아간다.

그렇게 모여서 둥둥 떠다니다가 마음에 안착한다.

들꽃, 해초

들꽃을 쑤시던 나는 그것을 뽑아내었다

아프다, 아파하며 소리치는

그것은 애처로운 눈물을 보였다

바다를 건너던 나는 뿌리 채 해초를 뽑아내었다

헤프다, 헤퍼 하며 소리치던

마음을 비애로운 눈물로 보았다

다 힘들면 무얼 먹고 사나?

농부는 밭 가는게 귀찮다

화가는 붓 씻는게 귀찮다

나도 배워 가는게 귀찮다

나도 어딜 가는게 귀찮다

차가운 마음 속 심해를 거닐고

어딘가 찾아가 여정을 떠나도

나는 무얼 하는게 힘들다

나는 사랑 하는게 힘들다

환청환각

누군가가 나를 부르는 소리

물고기의 뻐끔거림과

토끼 귀가 움직이며

부스럭거리는 나뭇잎 조차도

감쪽같이 속이는 자연의 소리

그렇게 다가와

나를 잡아먹고 사라진 눈빛

육체의 삐거덕 소리와

손과 발이 움직이며

끔뻑끔뻑 뜨는 각막 조차도

감쪽같이 속이는 우연의 망각

슬프다 슬퍼!

아무것도 못해서 슬프다

사실 해봤자 돌아오는 것이 없었다

적어도 괜찮다고 생각하며

더 열심히 일했지만

덩달아 나의 육체도 깎여 나가

결국 나는 마음도 몸도 왜소해졌다

그렇게 바람에 휘날리며 울다가

입자가 되어 사라졌다

해초

마음 속에 어느 날 해초가 자랐다

깊은 심해 속 축복의 순간이었다

놀란 나머지 그것을 가위로 잘라내어

나의 품 속에 지니고 있었다

그러자 점점 말라가더니 마르던 것이 죽었다

나는 그것을 다시 물에 넣으며 통곡했다

아무리 울어도 바다는 더 진해질 뿐

나의 해초를 살리지 못했다

안녕, 안녕, 안녕

안녕이라는 말은

아무 일 없이 편안하라는 안부다

우리 사이는 안부를 물을,

편안하라며 격려할 틈이 있었나

안녕이라는 인사는

처음 본 사이 친해지자는 신호다

우리 관계는 친해진 사이,

안녕하라며 인사할 틈이 있었나

밥풀때기

밥풀, 한 톨의 쌀알을 불린 그것은
나의 옷소매에 언제나 붙어있었다

끈적한 것을 떼어내 바닥에 버리면
이내 먼지에 덮인 그것은 굳었다
그리고 구르고 굴러 결국 쓰레기통으로
그 암흑 속으로 쪼르르 떨어졌다

그것, 한 마음 격정을 부른 그것은
나의 한구석에 언제나 붙어있었다

Chapter　2.　一生

별과 나, 그리고 날

매일 밤 옥상에 뜬 별

그 별은 창가에 앉아 울었다

밤바다의 비친 밝은 달빛은

자신을 왜소하게 보이도록 만들었다

그럼 나는, 나는 무엇일까

별에게 하늘의 공간을 빼앗겨

매일 북두칠성의 질타를 맞고 자라나

어두운 밤 중에 빛내지 못해 잠드는

피로를 참지 못해 이불을 덮는

그럼 나는, 나는 무엇일까

네비게이션

네비게이션 속 세상은

폭소의 노란빛, 나트륨도

푸른 냉소의 차가움도 아닌

자신을 빛내는 반짝이는

청록 빛 구리의, 어떤 영롱한 무엇

그 무엇은 무엇일까

너일까, 너 없는 세상일까

자동차를 안정으로 이끄는 것은

네비게이션일까, 기름일까

아니면 내 마음을 흐르게 두던

나의 애처로움을 보던 너일까

주어진 것은 뱀의 허물

그저 웃고 싶었을 뿐이었다
폭소와 무표정 그 사이의 미소를 띠고
사람들 사이에 섞여 인간다운 면모를 보이며
사람 같이 살고 싶었을 거다

.

그러던 순간에 주어진 것은
선물상자의 포장지도, 장난감의 비닐봉지도 아닌
뱀의 허물 하나
무늬 없이 투명 빛을 띠는 뱀의 허물 하나에
실망한 마음에는 여린 잎 하나가

불안을 끝내고

당신이 떠나갔다

나는 웃었다

아주 모든 것을 얻어 낸 듯 웃었다

그렇게 웃다 보니 나의 주변에 온 것은

밤하늘의 유성도, 수풀의 무엇도 아닌

커다란 당신이었다

당신은 더욱 더 커졌다

결국 마지막 당신을 보고 웃은 것은 나였다

광안리 앞 딸기

톡 쏘는 당신 앞에서 나는 픽 하고 쓰러졌다

아름다운 붉은 비이 나를 현혹시켰다

당신은 유혹 시켜놓고서

마지막은 제일 강한 탄산으로 나를 홀려 놓고서

산 너머 바다 너머 어디로 도망갔나

도피생활을 하다 결국

연극의 막을 내린 것인가

雪上加霜 ; 설상가상

눈 위에 눈이 덮힌 도로를

처음 본 거제의 하얀 구름은

자신보다 하얀 모습에 겁을 먹고 도망갔다

그러다 햇살과 부딪혀 자신을 떨어트렸다

후두두 떨어지는 자신의 빛깔을 바라보며

눈물을 뚝뚝 흘리는데

이 뭉뚱아리가 눈물과 만나 흘린 것은

하나의 진눈깨비였다

구름은 그렇게 자신의 자신을 미워하며

차근차근 몸을 진눈깨비로 깎아 보냈다

설상가상의 집 지붕 위 쌓인 눈을 바라보며

구름은 서서히 사라지는 팔꿈치를 움켜잡았다

시골에서 감자캐는

감자는 황토빛을 띠며 자신을 나타낸다

그런 감자를 캐다보면 무언가 자신을 깨닫게 된다

점점 자라나는 마음을 바라보며 캐다보면

언제나 자신을 기다리는 누군가가 오기 마련이다

이 때는 뜨거운 감자 하나를 건네주며

자신의 사랑하는 마음을 나타내는 것이다

감자하는 사랑을, 사랑하는 감자를 주다보면

상대의 감자에도 어느새 사랑의 싹이 피어있다

Chapter 3. 變化

델피니움

마음을 헤아린 꽃망울은 시들었다

아, 그 푸른 마음을 어찌 버렸는가

경솔한 심정으로 푸르게 변한 당신은 나를 어딘

가로 흘려보냈는가

변해버린 사랑은 식어버린 양초

양초의 굳은 뜨거움이 이내 손등에 어떠한 시림

을 선사하였는가

마음은 떠나며 자유로이 시들었다

묻힌 아우성

산 속에서 울리는 메아리에 울리는 답가

묻혀버린 하늘 끝 닿인 바다는

청바지의 물 빠진 수면

아우성은 그저 바위에 막혀

시들시들해지다 하늘의 바람을 타고

저 너머, 짓눌린 구름에 올라타

저 다른 이의 마음에 깊숙이 앉은 채로

그대로 서서히 불씨를 꺼트린다

나마저 서서히 불씨를 꺼트린다

분서갱유

넌 내 마음을 태워버렸어

넌 나를 땅에 묻어버렸어

나의 마음은 거름이 되고 나는 작은 씨앗이 되

어 자라나다 결국에는 줄기가 피어나고 꽃이 만

발했어

그러자, 넌 내 꽃들을 태워버렸어

넌 나를 땅에 다시 묻었어

그러자 나도 반항하고 싶었던 마음인지 청춘의

구름 폭포를 만끽하고 싶다는 희망이었는지 다

시 피어났어

무임승차

어느 날 아이들이 지하철을
그냥 타는 것을 본 적이 있다
내 쪽은 바라보는 아이
걔네들은 지나가는 아이들

그저 가만히 눈매로 스친 아이들도 기억나는데
내가 너라고 기억 못하겠나

인간은 잡식성 동물이니까

인간은 잡식성이니까 닥치는 대로 입에 쑤시나
보다. 채소도 동물도 뿌리조차 씹어먹어 내장에
밀리도록 만드나 보다

너도 나도 서로를 갉아먹어 마음까지 병들게
하고 잡식성이라 그런지 뭐든지 삼켜 버리기에
서로를 잡아먹나 보다

인간은 무조건적인 잡식성이니까, 그래서 무엇
이든 닥치고 먹으니까

문화유산

너의 고운 손은 문화유산

아무도 건드릴 수 없는 고운 섬섬옥수

가냘픈 마디에 잡힌 주름의 어설픔

가끔 누군가 너의 문화유산에 불을 질러

너가 하염없이 눈물을 흘리는 날이면

가냘픈 눈물에 잡힌 특유의 서글픔

너무나 아름다워 멀찍이 봐야 하는

그래서 더욱 비참한 너의 모습을 보며

나는 어디가 그리 슬퍼 눈물을 흘렸나

Chapter 4. 夢

호접지몽

꿈 속에서 날아다니는 나비
내가 나비였나 나비가 나였던 것일까

지금의 길이 자유로운 이유는
앞으로 없어질 길이라 넓은 이유일까

밤 속을 날아다니는 나비를 바라보다
가볍게 몸을 흩날리며 작별 인사를

그러다 훌훌히 실리는 바람 속 나는
나비일까, 내 행세를 하는 것일까
내가 나비 행세를 하는 것일까

새집; 둥지

안락한 나뭇가지는 새의 터전

나의 둥지는 너의 마음

던지는 지푸라기는 집이 되어

가지런히 모아 알을 품고

그러다, 이 나무가 알로 가득 차면

그렇다면 나는 이 꿈에서 깨겠지

너 하나 품자는 마음으로 꾸었던 허상들은 나뭇

가지에 걸려 바람 맞는 나뭇잎들

너를 품는 하루하루는 부귀영화의 순간들

가지런히 모아 너를 품고

그러다, 이 마음이 너로 가득 차면

그렇다면 너는 날 두고서 깨겠지

척과만거　擲果滿車

과일을 던진다

수레에 구르는 그것은 사랑의 격정

파도를 일으키는 물결은

마음의 해변가에 밋밋한 물살

사랑을 던진다

바닥에 구르는 그것은 사랑의 식음

애정을 일으키는 시도는

마음의 해변가에 밋밋한 참외

백화지원

잃는 것은 너무나 슬프다

더욱이 잃는 것이 클수록

슬픔의 심연도 덩달아 커지게 된다

너를 잃게 된 나의 마음에

커다란 불청객이 앉아 너를 찾는다

슬픔은 행복을 먹어 점점 커진다

너가 돌아와 얼른 나의 슬픔을 먹어치워

이 아리따운 마음을 되돌려 놓길

너든 무엇이든 나에게 돌아와

이 아름다운 순간을 되돌려 주길

Chapter 5. 瞬間

바게트

딱딱한 빵은 바게트

자전거 타던 바케트와 함께 실린 지팡이

내가 바란건 너의 노후를 함께 다니며

너를 바라볼 때 너가 짚는

낡은 나무 지팡이

그러다 식당가에 들어서

너가 젓가락으로 음식을 집고 먹으며

미소 짓는 순간들

꼬뺑

프랑스어로 꼬뺑

우정도 사랑도 아닌 어중간한

그 중간의 무엇을 나눈 사이

우리는 우정의 닮음을 겪었나

남들의 사랑을 닮아 사랑했나

그것도 아니면 너무나 증오하여

서로가 증오한 만큼 사랑했나

나무가 겨울에 추워져 잎을 잃게 되면

산 한 채는 자신을 깎았다

바다가 여름에 사람이 꼬여 오게 되면

물 한 방울 자신을 옮겼다

보네흐

행복은 보리밭 곁에서 찾아온다

보리밭에 흩날리는 보리알들
네가 바란 순간들은 담은 것인가
흐르던 물길을 타고 온 것인가

누구는 보리밭 곁을 찾아가본다

보리밭에 흩날리는 보리알을
네가 나를 사랑하는 만큼 담아 갈려고
흐르는 물길도 찾아 갈 정도로

le poème

하나의 시조인가

하나의 마음인가

나를 가로 막는 경계 사이

행복과 우울 사이로 찾아오는

환청과 환각 사이로 찾아오는

시를 쓰면 오는 경계 사이

추억과 당신 사이로 찾아오는

아픔과 기쁨 사이로 찾아오는

독약!

나는 너에게 독약

너의 혈액을 타고 내려가

핏줄을 타고 심장으로 달려가

혹은 뇌 속을 파고들어가

나의 독에 열렬히 중독되도록!

너는 나에게 독약

너는 혈관을 타고 다가와

장기를 건너 마음으로 달려가

혹은 내 앞을 찾아와서는

너의 독을 적당히 풀어놓았네!

빠-삐 용

나비가 보고 싶었다

유난히 보고 싶은 밤 하늘

너에게서 이별을 받았다

나의 나비는 죽었다

너의 나비도 죽었다

너와 나의 모든 나비는

같은 시각 다른 공간에서 죽었다

Chapter　6.　失敗

역설

세상은 역설적이다

세상은 나를 뱉어내는 블랙홀

다른 사람들은 헤어나오지 못한

역설적인 모순적인 블랙홀

누군가가 죽어나가는 곳에서

희망을 바라는 근원 조차가 역설인

식어버려 헤어졌다고 하면서

포용을 바라는 우리 조차가 역설인

자장가

아이야 자렴

꿈에서 깨어나 뒷동산을 뛰어놀다가

이 현실을 자각하지 마렴

푸른 잎이 조화를 이룬 캔버스 속에서

평생 춤을 추다 마지막에 나와

이 순간에 미소지어 주렴

아이야 자렴

꿈에서 나와 우는 표정을 보이지 말고

푸른 산 마음껏 뛰다 돌아오렴

너무나 멀어진

너무나 멀어졌다

어릴 때 상상했던 성숙한 나는

결국 과거와 현재의 성숙이 다르다는 것을

나무에 잎이 나는 과정에서

어떤 고난과 역경이 있었는지

그리고 앞으로도 어떤 고통이 있을지

어렸을 때 상상하지 못했던 것을

깨달아 버린 나는 너무나 멀어졌다

누구와도 현실과도 멀어지다

결국 얻어낸 것은 다 흐른 모래시계의 파편

다른 세상

너와 나는 너무나 다른 세상을 살았나

앞마당에서 흙을 캐던 내가

언덕에서 나무를 심는 너를 볼 때

얼마나 마음이 찢어졌는지

너는 나를 보고서 다른 마음을 가졌나

앞마음에서 너를 찾던 내가

숲속에서 혼자서 걷는 너를 볼 때

진짜로 마음이 찢어졌는지

괴물

여름에 피어난 새끼새는

어미새의 품에서 버려지고

괴물이 되었다

둥지에서 벗어나 잡초를 뜯어먹고

푸른 빛을 띄어 나타난 그 아이는

어미새의 품으로 뛰어들고

다시 새끼새가 되었다

그러다 하늘의 구름에 모여

빗물에 되어 어미새 앞

푸르른 강가의 맑은 웅덩이가 되었다

환청

너가 내 환청이 되어주면 좋겠다

어디를 가든 너의 목소리가 들리고

추억으로만 간직할 필요 없이 듣도록

바람을 흩날리고 물길이 흐르고

낙엽이 내 눈을 가려도

너의 목소리만은 나를 위로하도록

생명수

맑은 샘물에서 물이 떨어진다

토끼의 하얀 털이 반짝인다

양의 고운 빛깔과 같다

늑대의 어두운 회색 빛깔과 대비되는

그 순결한 색은 아름답다

토끼의 털은 맑은 샘물에 떨어져

생명수가 되는 근원과 원인과

근심과 걱정을 사라지게 하는

행복과 다복의 상징이다

난해하다

상황이 난해하다

마음이 난해하다

어수선한 기둥 사이 비집는

무너져가는 건물의 균형

꺾이는 나뭇가지 위 새의 둥지

결국 난해하다며

마음이 떠나간다

Chapter　7.　胡蝶之夢

추억의 바구니 만들기

준비물

추억을 담은 주마등 15개

부드러운 기억들

기억의 길이를 잴 줄자

머리를 조작할 망상

마지막으로 너,

주마등 모두 꺼낸 후

부드러운 기억들을 재 자른 뒤

더욱 행복했던 순간들을 고른 뒤

꼬아 만들면 나오는 것은

너도 아닌 나도 아닌

추억의 바구니

꿈 속에서 본 여름의 붕어빵

여름은 춥고 겨울은 덥다

추운 바다의 모래 알갱이와

뜨거운 고드름은 서로 만나 녹았다

유리 조각이 되어 물 웅덩이가 되어

여름의 포장마차에 있던 것은

겨울을 그리는 붕어빵

겨울의 동네식당에 있던 것은

여름을 기다린 얼음물

소라게를 주웠어

어느 날 바다에서 작은 소라게를 주웠어

화려한 자태는 아름드리나무

유리병에 담긴 그 모습은

연분홍 색의 광택 잃은 모습은

결국에 잎사귀에서 떨어질 애벌레

나비가 되어 나타나

시뻘건 와인 병 뚜껑 위에 앉을

한 순간의 소라게

세탁

세탁기에 너의 빨래를 돌렸어

나의 경솔한 어리석음도 함께 돌렸어

흰 옷에 묻는 검은 잉크를 보는 것이 슬펐지만

그저 어두운 마음으로 물들여진 너가

잉크의 어두움보다 더 짙은 무언가가 되어

내 곁을 영원히 떠나 돌아오지 않을 때

그 때는 슬픔의 심해에 빠질거야

그리고 영원히 떠오르지 않을거야

결정체

밤하늘의 언 눈보다 무서운 것은

너의 마음에 찾아온 빙하기

모두를 얼릴 이 추위는

마치 하나의 고통이 되어 찾아와

모두를 삼켜 버릴 듯하다

밤하늘에 삼켜져버린 구름과 같은

너의 마음 속 마을도

순순히 나에게 다가오길 바라며

눈이 굳은 결정체를 바라본다

어제 보던 것이 녹으면 다시 주워 본다

나비효과

꽃밭의 나비가 언덕을 넘어

산을 넘고, 바다를 건너

너에게로 다가와

눈앞에서 죽어버리는

묘한 꿈을 꾸었다

더 기묘한 것은 너의 앞에서

나비를 무참히 죽여버린 것이

어리석게도 나였다는 것이다

행복 증발 모음집

양초에 불을 붙여 바라본다면

눈동자에 불길이 비춰보이겠지

행복이 한 사람의 마음을 통해

그 불을 바라보다가

시시해지면 스스로 꺼트리려다가

빛나는 모닥불을 다시 보고 동요하겠지

그러다 행복이 선택한 것은

자신의 발가락 하나하나를 시작하여

스스로 자신을 태워버리고

따뜻함 속에서 잠드는 것

아주아주 단 소금빵

소금빵 위에 깨 같이 붙은 소금은
나를 놀리려는 듯 무척이나 짜다

그런데 그것을 먹다 보면 너무나 단 맛에
놀라여 비명을 지르게 된다

그것은 거짓이 아니었을까
짠 맛으로 속여버린 내면의 단 부분을
크림을 빼버리고 소금으로 채우지 않았을까

자신의 약한 마음을 드러내기 싫어
남들에게 짠 모습을 보여준 소금빵
그것이 어째선지 짜기보다 달게 느껴진다

Chapter 8. 子子單身

홀로 선 몸

홀로 서있는 거리는

왜인지 고독하지 않은 것일까

내 안에 또다른 누군가가

나에게 말을 거는 것일까

하늘의 하느님께서 내게

가르침을 주시는 것일까

그것도 아니면 외로움에 지친

나에게 내가 말을 거는 것일까

목소리

그 목소리, 나를 향한 냉소

곡소리도 아닌 것이 박장대소도 아니고

미소를 띄는 온화한 것도 아니다

날카로운 비웃음을 전하듯 웃는

이 소리는 유독 나에게만 다가온다

나의 귀에만 속삭이는 이것은

내가 힘들 때 옆에서 유일하게 웃어보인다

어른이 되어

나는 어른이 될 것이다

빨리 성장하여 홀로 세상을 빠져나와

혼자 꿋꿋이 지조와 절개를 지키며

성숙한 몸으로 경건한 마음을 가져

나 혼자 자신을 책임지는 나이가 되면

나는 어른이 될 것이다

그러면 이 모든 것을 놓아두고

가야할 때가 오지 않을까

모든 것이 자연스레 사라지지 않을까

나를 몰아내던 모든 것과 아끼던 것까지 모두

캠핑

어느 날 여행을 가게 된다면

너의 손을 잡고

저 산 속의 캠핑장으로 갈 것이다

너에게 푸르른 자연을 선사하고 싶다

나의 마음을 이 숲으로 전하고 싶다

자연의 고백은 절경의 기상

내 순결한 마음을 너에게 전하고 싶다

Chapter 9. 결말

"結末, 끝"